Título original: *Les Noëls d'Ernest et Célestine*

Colección **libros para soñar**®

© de la edición original: Casterman, 2003

© de la traducción: Juan Ramón Azaola, 2018

© de esta edición: Kalandraka Editora, 2018

Rúa de Pastor Díaz, n.º 1, 4.º B - 36001 Pontevedra
Tel.: 986 860 276
editora@kalandraka.com
www.kalandraka.com

Impreso en Gráficas Anduriña, Poio
Primera edición: noviembre, 2018
ISBN: 978-84-8464-419-4
DL: PO 602-2018
Reservados todos los derechos

MIXTO
Papel procedente de
fuentes responsables
FSC® C104983

GABRIELLE VINCENT

LA NAVIDAD DE
Ernesto y Celestina

kalandraka

–Ernesto, ¿cuándo será Navidad? –Dentro de seis días…

–¡Me prometiste que podría dar una fiesta a todos mis amigos!

–No tenemos dinero…
¡Vamos, ven!

–Pero, Ernesto,
no hace falta dinero
para hacer una fiesta
de Navidad…

–¿Y los regalos,
el árbol, los pasteles,
los discos, las velas…?
¿Cómo compramos
todo eso, eh?

–Ernesto, estoy segura de que no hace falta dinero para nuestra fiesta.

–Hace demasiado frío para pensar en una fiesta, Celestina.

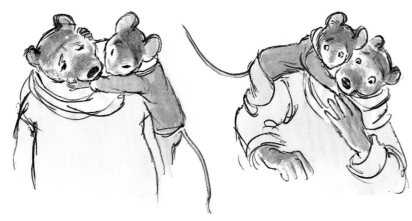

–… Iríamos al bosque
a buscar un tronco grande,
¡y también un pino!

Tú tocarías el violín,
bailaríamos,
cantaríamos…
¿Y de comer…?

… Pues haces una tarta,
pastas, zumo de naranja,
chocolate, ¡y ya está…!

Y, para los regalos,
haríamos dibujos,
«collages», recortables…,

… gorros,
estrellas…,

… guirnaldas, serpentinas…
Yo las podría pintar
si me ayudas…

... Di «sí», Ernesto. ¡Di que «sí»!
–¡No! ¡Te digo que NO! Este año no podemos.

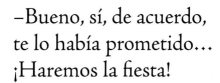

–Me lo habías prometido…

–Bueno, sí, de acuerdo,
te lo había prometido…
¡Haremos la fiesta!

–¿De verdad que lo habías olvidado, Ernesto?

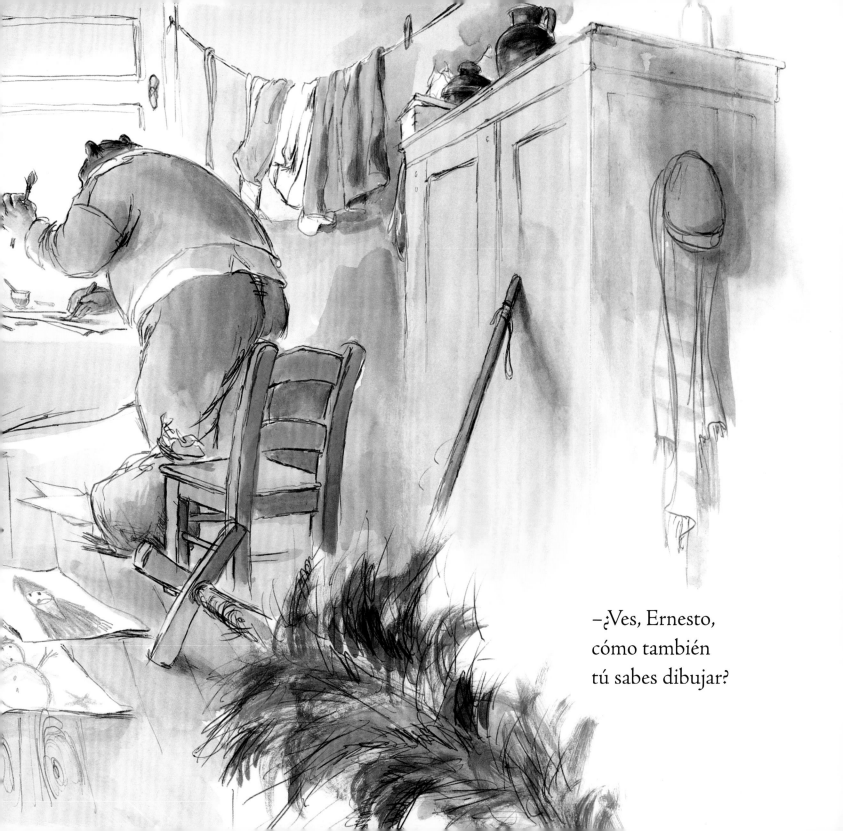

–¿Ves, Ernesto,
cómo también
tú sabes dibujar?

–¿Vienes a ver qué regalos tan bonitos estoy preparando?
–Estoy haciendo los pasteles…; enseguida voy.
Por cierto, Celestina, aún necesitamos buscar una vajilla…

–¡Allí, Ernesto, allí! Veo tazas y platos…

(Y aquí está lo que necesito para mi disfraz de…)

–¡No está nada mal!

–Y su vestido, ¡tampoco!

–A ver, Celestina, escribe:

Gran Fiesta de Navidad
en casa de Ernesto y Celestina.
Traed vuestras flautas y tambores,
velas y gorros.
¡No faltéis!

–¿Es esto tu fiesta?

–... y esto para ti.

–¿Llamas a eso un «árbol de Navidad»?

–Bolas de imitación, guirnaldas de pega,
no hay música...

–¡No le hagas caso, Celestina!
A nosotros nos gusta todo.

–¡Jou, jou, jou! ¡Feliz Navidad!

–Ernesto, ven a ver…
¡Ha venido Papá Noel!

–¡Ernesto,
Ernesto!

–¿Dónde estás,
Ernesto?

–¡No encuentro a Ernesto!

–¡Celestina no reconoce
a Ernesto! ¡Cree que de verdad
es Papá Noel!

–Pero, Celestina,
¡si es tu Ernesto!

–¡Ya, ju, juuu!
–¡Más deprisa!
–¡Vamos, Ernesto!
–¡Baila, Celestina!

–¡Cuentos, cuentos! Venga, Ernesto,
por favor, ¡cuéntanos un cuento!

–Érase una vez,
en un país lejano…

–Ernesto, ya vienen a buscarnos.

–... Oh, Ernesto,
nunca lo había pasado
tan bien... ¡Gracias!

–¿Sigues enfadada conmigo, Celestina?
Ha sido todo estupendo, ¿sabes?
¿Podré volver el año que viene?

–Ha dicho «el año que viene»,
¿le has oído?

–¿Lo volveremos a hacer el año que viene?

–De momento, Celestina,
vamos a descansar…

–*Campana sobre campana…*